汉语听力系列教材
（第二版）

Intermediate *Chinese Listening* I

中级汉语听力

上　主编／李铭起　　王　彦
　　编著／李铭起　　王　彦

北京语言大学出版社
BEIJING LANGUAGE AND CULTURE
UNIVERSITY PRESS

图书在版编目 (CIP) 数据

中级汉语听力.上 / 李铭起，王彦主编. — 2版.
— 北京：北京语言大学出版社，2013.9
汉语听力系列教材
ISBN 978-7-5619-3629-0

Ⅰ.①中… Ⅱ.①李… ②王… Ⅲ.①汉语—听说教
学—对外汉语教学—教材 Ⅳ.①H195.4

中国版本图书馆 CIP 数据核字（2013）第 204729 号

书　　名：	中级汉语听力（上）	
	ZHONGJI HANYU TINGLI (SHANG)	
中文编辑：	李佳琳　　王墨妍	
英文编辑：	侯晓娟	
责任印制：	姜正周	

出版发行：**北京语言大学出版社**

社　　址：北京市海淀区学院路 15 号　　　邮政编码：100083
网　　址：www.blcup.com
电　　话：发行部　010-82303650 / 3591 / 3651
　　　　　编辑部　010-82301016
　　　　　读者服务部　010-82303653 / 3908
　　　　　网上订购电话　010-82303080
　　　　　客户服务信箱　service@blcup.com
印　　刷：北京画中画印刷有限公司
经　　销：全国新华书店

版　　次：2013 年 9 月第 1 版　　2013 年 9 月第 1 次印刷
开　　本：889 毫米 ×1194 毫米　　1/16　　印张：课本 4.5　录音文本及参考答案 5.25
字　　数：176 千字
书　　号：ISBN 978-7-5619-3629-0 / H·13214
定　　价：50.00 元

FOREWORD | 编 写 说 明

　　《汉语听力系列教材》自1999年由北京语言大学出版社出版发行以来，受到了国内外同行及使用者的认可，甚至部分国内外高校或汉语培训机构至今仍在使用该系列教材。但毕竟时过境迁，中间发生了太多的变化，原版系列教材的问题也逐渐显现出来。为此，在北京语言大学出版社领导和诸位编辑的鼓励和支持下，我们本着"继承和创新"的原则，综合考虑各方面因素，对原版教材进行了全新设计，于是有了《汉语听力系列教材》（第二版）。

一、适用对象

　　《汉语听力系列教材》（第二版）是专门为学习汉语的外国学习者编写的一套系列听力技能训练类教材，分初、中、高三级，以适合不同水平学习者的需求，掌握500 – 5000汉语词汇的学习者均可选择适合的级别使用。

　　本书是该系列教材的中级课本，共24课，适用于已在华学过一年汉语，掌握2500以上汉语词汇，或学完本系列教材初级部分的外国学生和进修生。

二、教学目标

　　培养和提高学习者的汉语听力技能和交际技能，激发学习兴趣，提高对不同听力环境的适应能力。

　　具体来说，就是培养学习者正确的汉语发音和辨音能力，使其掌握一定的听力技巧，逐步提高其听力水平和反应速度，为其日后得体地输出打好基础。

三、教材结构及编写体例

　　原版教材为初、中、高三级，每级分为1 – 3三册，共9个分册。新版教材仍为初、中、高三级，每级分上、下两册，共6个分册。为便于使用，每册均配有《录音文本及参考答案》分册。

　　课本：含练习及词语总表，其中"词语"标注汉语拼音和词性；

　　录音文本及参考答案：含录音文本及参考答案，其中"词语"标有简单的英语翻译，高级两册标注简明汉语释义。

　　与新HSK对应关系：初级上册对应新HSK三级，初级下册对应新HSK四级，中级本对应新HSK五级，高级本对应新HSK六级。

　　中级课本每册各有12课，每4课为一个单元，每个单元后有一次单元测试，全书共分为6个单元。

　　每课分为精听和泛听两大部分：

"精听部分"包括"词语"、"课文"和"新HSK实战演练"三部分。"词语"是精听课文中出现的生词、习惯用语等，只标注词性、汉语拼音，不作释义，可作为课后作业供学生预习，仅在录音文本册提供简单的英语注释。"课文"部分的练习形式有回答问题、判断正误、综合填空等，主要测试学生对录音材料的理解程度，训练其综合分析、准确表达能力和良好的语感。"新HSK实战演练"部分依据新HSK五级考试大纲而编写，每课20题。其中，上册为1句话或男女两人各说1句话，1个问题，4选1形式，相当于新HSK五级听力测验的第一部分；下册为若干段长对话或讲话，每段话后有2–3个问题，4选1形式，相当于新HSK五级听力测验的第二部分。

　　"泛听部分"是一段长度适中的短文，练习形式为听后简单回答问题。该部分是在精听基础上的一个提升，可作为选用教材或辅助教材，旨在为学生的不同需要提供更多的选择空间。

　　"单元测试"是对本单元所学内容的巩固和复习，分为两部分。第一部分为新HSK实战演练，共20题。第二部分是一篇难度相当的短文，用以考查学生的综合理解能力。

　　每课一般需要4 – 6课时完成。

四、教材特色

　　对外汉语教学离不开教材，有不同类型的教学，就会有不同类型的教材。教材特点各不相同，但满足教学需求、培养学习者的汉语交际能力是共同的。除此之外，本版教材的主要特色有：

1. 具有较强的科学性。本教材设计主要依据《国际汉语能力标准》和《新汉语水平考试大纲》，参考《汉语水平词汇与汉字等级大纲》、《汉语水平语法等级大纲》，教学目标明确，层次分明，梯度有序，利于激发学习兴趣、给学习者以成就感。课文的难易度遵循由浅入深、由易到难、循序渐进的原则。

2. 针对性、实用性强。符合课堂教学实际需要，兼顾新HSK应试，努力实现二者的和谐统一。针对外国留学生的汉语学习特点，精听、泛听课文重在训练其综合听力能力，新HSK实战演练部分采用新HSK听力考试的形式，对学生进行专项强化训练。

3. 难度适中，兼顾课堂内外，符合教学和学习规律。"可懂输入"（先文后声）和"实况听力"（先声后文）在不同层级的比例恰当、合理。"精听课文"长度一般控制在500 – 600字左右，最多不超过700字。每课的生词量一般不超过6%，既保证了信息输入量，又不会给学生造成太大的负担。

4. 注重知识性、趣味性。语料内容鲜活，易学易用，真实自然，贴近交际实际。话题广泛，题材多样，语言力求流畅自然、生动有趣，以增强和调动学习者的学习兴趣。

5. 文化内容丰富，体现汉语的优美与生动，能让学习者品味中华文化的魅力。

五、编写原则

为实现上述教学目标，本版系列教材在编写过程中遵循了以下编写原则：

1. 整体设计遵循科学性、针对性、实用性、趣味性、系统性等方面的要求，这也是原版教材所努力追求的。

2. 教材内容的组织遵循第二语言教材编写循序渐进、由易而难、由浅而深、分布均匀、重现与循环等通行做法，在语流中辨音，在短语或句子中辨听词汇，在语段中理解句义，适合大多数学习者的接受程度。重点参照《国际汉语能力标准》和《新汉语水平考试大纲》。

3. 教材体例遵循易用好用的原则，充分兼顾汉语课堂教学需要和学习者应试新HSK的需要，努力实现二者的和谐统一。每一课的"精听部分"为教学/学习重点，"泛听部分"为教学/学习的扩展训练。"新HSK实战演练"依据不同级别的新HSK考试大纲编写，既是针对新HSK听力的强化训练，也是课文部分的扩展练习。

4. 练习设计遵循丰富实用的原则，练习形式多样，练习重点突出，追求课堂教学的生动性和趣味性，本教材尤其关注听力微技能训练。

5. 语言材料选择遵循真实性和多样性的原则，题材内容涉及面广，涵盖日常生活交际到社会生活的方方面面，是学习者生活中常用、交际中必需的，利于激发学习者的学习积极性。体裁、语言风格努力做到丰富多样，利于交际，随着学习水平的提高，逐步扩展、深入并加大文化内涵，尤其是体现时代性与典型性的统一，努力展现当代中国社会生活的丰富多彩和中国文化的多元性。

六、特别说明

本教材所用部分语料选自报刊、网络，由编者改编而成。限于时间及其他原因，事先未能与原作者取得联系，特此致歉并向各位作者表示衷心感谢！

限于编者水平，本教材难免有这样那样的缺点，敬请各位同行及教材使用者批评指正，以利于日后的修订。

七、致谢

感谢山东大学国际教育学院各位领导和老师对本教材修订工作的支持和鼓励。

感谢北京语言大学出版社张健总编辑对本教材编写工作的关心和所作的指导。

感谢北京语言大学出版社诸位编辑为本教材编写、出版所付出的辛劳和提供的无私帮助。

感谢国内外各位同仁、朋友对本教材的关注和所提供的宝贵意见。

李铭起　王彦

2013年4月

ABBREVIATIONS OF PARTS OF SPEECH | 词类简称表

缩写 Abbreviations	英文全称 Parts of Speech in English	词类名称及简称 Parts of Speech and Abbreviations in Chinese
n.	Noun	名词（名）
v.	Verb	动词（动）
pron.	Pronoun	代词（代）
adj.	Adjective	形容词（形）
adv.	Adverb	副词（副）
m.	Measure Word	量词（量）
prep.	Preposition	介词（介）
conj.	Conjunction	连词（连）

目录 CONTENTS

第一课 | 不幸的梨树

不幸的梨树

词 语

01-1

1. 梨树	líshù	n.	7. 后悔	hòuhuǐ	v.
2. 取暖	qǔnuǎn	v.	8. 肥料	féiliào	n.
3. 砍	kǎn	v.	9. 浇	jiāo	v.
4. 笨	bèn	adj.	10. 补救	bǔjiù	v.
5. 木柴	mùchái	n.	11. 警告	jǐnggào	v.
6. 挨（冻）	ái（dòng）	v.	12. 怪	guài	v.

练 习

01-2

一、听两遍录音，简单回答下列问题：

（一）回答下列问题：

1. 那棵梨树在什么地方？
2. 为什么每年冬天老王都要到山上去砍柴？
3. 为什么说冬天上山砍柴很不容易？
4. 老王为什么说自己真笨？
5. 老王觉得砍梨树的树枝没有关系吗？
6. 第二年，老王为了什么事而后悔？
7. 老王第二次砍树的时候是怎么想的？
8. 老王想补救什么？

（二）判断下列句子的正误：

1. 冬天梨树上只有叶子。　　　　　　　　　　（　　　）
2. 下雪的时候上山很危险。　　　　　　　　　（　　　）
3. 老王家的门口有很多木柴。　　　　　　　　（　　　）
4. 老王年年都不给梨树浇水、施肥。　　　　　（　　　）

1

5. 老王经常为自己的行为感到后悔。 （　　）

6. 树上的梨子一年比一年少。 （　　）

7. 那棵梨树差点儿被老王砍死。 （　　）

🎧 二、听第三遍录音，边听边填空：
01-2

1. 老王家的_____有一_____很大的梨树。

2. 每年冬天，_____取暖，老王都要到_____去砍_____干树枝_____。

3. 门口就有_____多的_____木柴，我_____到山上去_____呢？

4. 第二年，_____的梨子_____少了。老王后悔去年_____梨树的树枝。

5. 冬天又到了，_____砍柴_____很冷，老王看着_____，又_____了。

三、说一说：

为什么说那棵梨树很不幸？

新 HSK 实战演练

🎧 第 1-20 题：请选出正确答案。
01-3

1. A. 树上有一两个树枝
   B. 砍一两个树枝没关系
   C. 树很大，砍不了很多
   D. 树很大，不能砍树枝

2. A. 以后还想砍树枝
   B. 去年不该砍树枝
   C. 忘了砍树枝的事
   D. 梨子为什么少了

3. A. 老王心疼梨树了
   B. 老王不想砍树了
   C. 老王改变了主意
   D. 老王在想该怎么办

4. A. 梨树也有责任
   B. 这棵梨树很奇怪
   C. 不是自己作的决定
   D. 梨树怎么不结梨子

5. A. 疑问
   B. 猜测
   C. 否定
   D. 反问

6. A. 只是吃了米饭
   B. 碗快洗干净了
   C. 吃饭的速度快
   D. 碗里只有米饭

7. A. 报纸很有意思
   B. 下班前要看报
   C. 吃饭前要看完
   D. 只看报不干别的

8. A. 走路来了
   B. 脚冻伤了
   C. 脚不干净
   D. 没穿鞋袜

9. A. 必须先洗衣服
   B. 星期天不洗衣服
   C. 着急也要洗衣服
   D. 不用着急洗衣服

10. A. 去得太晚了
    B. 排队的人太多
    C. 排队时间太长
    D. 大家都觉得奇怪

11. A. 不知道问谁才好
    B. 明天肯定买不到
    C. 谁都知道什么结果
    D. 不能肯定能否买到

12. A. 用眼睛看
    B. 回头看看
    C. 看得清楚
    D. 时间很快

13. A. 对方来晚了
    B. 你找错了人
    C. 东西卖完了
    D. 建议再等等

14. A. 他们没去爬山
    B. 山上总是刮风
    C. 那天山上没风
    D. 山上风景很美

15. A. 不知道吃什么好
    B. 起床后就喝咖啡
    C. 下课后想喝咖啡
    D. 想去吃点儿东西

16. A. 表示怀疑
    B. 有些犹豫
    C. 非常肯定
    D. 不太赞同

17. A. 很困难
    B. 不太难
    C. 很容易
    D. 没做完

18. A. 你到哪儿去了
    B. 好朋友不用客气
    C. 我们不再是朋友了
    D. 以后会成为好朋友

19. A. 花草非常多
    B. 有一些花草
    C. 没什么花草
    D. 有花没有草

20. A. 他去不了外边
    B. 没他去的地方
    C. 他不喜欢玩儿
    D. 他身体很好

泛听部分 ▶

倒霉的狼

词语

01-4

1. 壮胆　　zhuàng dǎn　　　v.
2. 挣扎　　zhēngzhá　　　　v.
3. 自叹倒霉　zìtàndǎoméi
4. 饱餐一顿　bǎocān yídùn
5. 个头儿　　gètóur　　　　　n.
6. 凶猛　　　xiōngměng　　　adj.

练习

一、听两遍录音，简单回答下列问题：

01-5

1. 这只狼在哪儿？
2. 狼为什么吓了一大跳？
3. 那只小猫被抓住时，别的猫在做什么？
4. 狼为什么又饿肚子了？
5. 狼为什么觉得自己很倒霉？
6. 看到"大猫"，狼害怕吗？
7. 狼为什么死了？

二、说一说：

请复述一下这个小故事。

第二课｜三个旅客

三个旅客

🎧 词 语
02-1

1. 雾	wù	n.	7. 喘	chuǎn	v.
2. 商人	shāngrén	n.	8. 粗气	cūqì	
3. 银行家	yínhángjiā	n.	9. 熏	xūn	v.
4. 政治家	zhèngzhìjiā	n.	10. 皱	zhòu	v.
5. 牲口棚	shēngkoupéng	n.	11. 臭气	chòuqì	n.
6. 气味	qìwèi	n.	12. 牲畜	shēngchù	n.

练 习

🎧 一、听两遍录音，简单回答下列问题：
02-2

（一）回答下列问题：

1. 故事发生在什么时候?

2. 三个旅客为什么迷了路?

3. 三个旅客是做什么的?

4. 他们为什么要在农民家住一晚上?

5. 他们中的一个人必须到什么地方去睡觉?

6. 银行家和商人为什么回来了?

7. 农民最后一次开门的时候为什么大吃一惊?

（二）判断下列句子的正误：

1. 他们在山上的树林里迷了路。　　　　　　　　（　　）

2. 走出那片树林之后，他们三人就结伴同行了。　（　　）

3. 他们中的两个人可以在农民的房子里休息。　　（　　）

4. 银行家首先去牲口棚睡觉。　　　　　　　　　（　　）

5

5. 牲口棚里有一种食物烂了以后发出的臭气。 （　　　）

6. 政治家很瞧不起他的两个同伴。 （　　　）

7. 最后一次开门的时候，农民很不高兴。 （　　　）

02-2

二、听第三遍录音，边听边填空：

1. 三位_____在_____的树林里迷了路。他们一位是_____，一位是_____，另一位是_____。

2. 走了_____，他们才找到_____农户。

3. 我只有_____两个人_____的地方，你们中的一个人_____到牲口棚里去找个_____，那里的_____可不太好。

4. 银行家喘着_____说："我_____被牛马_____的气味熏_____了。"

5. 一开门，他_____大吃一惊，因为门口_____的不是那位政治家，_____牲口棚里_____的牲畜。

三、说一说：

在这个故事中，政治家和别的人有什么不同？

新 HSK 实战演练

02-3

第 1-20 题：请选出正确答案。

1. A. 附近的农户很少　　　　　　3. A. 鄙视
　　B. 农户家里没有人　　　　　　　B. 欣赏
　　C. 时间已是半夜了　　　　　　　C. 怀疑
　　D. 他们找不到农户　　　　　　　D. 批评

2. A. 他感到很累　　　　　　　　4. A. 冬季结束
　　B. 他快要死了　　　　　　　　　B. 一个节气
　　C. 他呼吸不好　　　　　　　　　C. 一个季节
　　D. 他受不了了　　　　　　　　　D. 一个节日

5. A. 这太容易了
   B. 很快想起来
   C. 突然明白了
   D. 知道在哪儿

6. A. 高兴
   B. 疑惑
   C. 肯定
   D. 否定

7. A. 最后同意了
   B. 还需要考虑
   C. 提出了新要求
   D. 要求有点过分

8. A. 你不会知道的
   B. 你应该告诉他
   C. 他已经知道了
   D. 为什么告诉他

9. A. 孩子很可爱
   B. 他有很多烦恼
   C. 孩子看到了他
   D. 不应该有烦恼

10. A. 不应该老想事
    B. 那是一件好事
    C. 忘掉那件事不好
    D. 应该忘掉那件事

11. A. 小饭馆
    B. 小唐家
    C. 小王家
    D. 小杨家

12. A. 不知道该做什么
    B. 还有什么事没做
    C. 什么事都不想做
    D. 做什么事都很好

13. A. 责怪
    B. 高兴
    C. 询问
    D. 赞叹

14. A. 不说也能明白
    B. 说得很明白了
    C. 说了等于没说
    D. 为什么不早说

15. A. 有点儿乱
    B. 可能不错
    C. 特别高兴
    D. 很不开心

16. A. 怀疑
    B. 惊奇
    C. 生气
    D. 感动

17. A. 你有什么事
    B. 你确实很忙
    C. 你意见太多
    D. 你哪儿不懂

18. A. 老李八点才来
    B. 老李走得很快
    C. 老李提前走了
    D. 老李没有迟到

19. A. 路的价值更大　　　　　20. A. 工人
　　B. 树比路价值大　　　　　　　B. 农民
　　C. 两者不能比较　　　　　　　C. 军人
　　D. 两者都有价值　　　　　　　D. 职员

泛听部分 ▶

初　雪

词语

02-4

1. 公历	gōnglì	n.		5. 节气	jiéqì	n.	
2. 农历	nónglì	n.		6. 撒落	sǎluò		
3. 天干	tiāngān	n.		7. 枕	zhěn	v.	
4. 地支	dìzhī	n.		8. 馒头	mántou	n.	

练习

02-5

一、听两遍录音，简单回答下列问题：

1. 在中国的日历上你会发现什么？
2. 什么人习惯用农历？
3. 中国人是什么时候开始使用农历的？
4. "天干"、"地支"用来表示什么？
5. 昨天什么时候开始下雪的？下了多长时间？
6. 今天早晨的天气怎么样？
7. 老农为什么很高兴？
8. 雪后，孩子们在做什么？

二、说一说：

农历和公历有什么不同？

第三课 | 看到的和想到的

看到和想到的

🎧 词 语

03-1

1. 眼见为实	yǎnjiànwéishí		8. 骆驼	luòtuo		n.
2. 依靠	yīkào	v.	9. 怀疑	huáiyí		v.
3. 丧失	sàngshī	v.	10. 瘸	qué		v.
4. 范围	fànwéi	n.	11. 苍蝇	cāngying		n.
5. 有限	yǒuxiàn	adj.	12. 蚂蚁	mǎyǐ		n.
6. 摆	bǎi	v.	13. 驮	tuó		v.
7. 视而不见	shì'érbújiàn					

练 习

🎧 一、听两遍录音，简单回答下列问题：

03-2

（一）回答下列问题：

1. 很多人养成了一种什么习惯？

2. 为什么有人会对眼前的事情视而不见？

3. 生意人丢的骆驼是做什么用的？

4. 生意人听了老人问的问题之后有什么反应？

5. 老人生气了没有？

6. 骆驼的哪条腿是瘸的？老人是怎么知道的？

7. 老人为什么认为骆驼的右眼是瞎的？

8. 骆驼的左右两边分别驮着什么东西？老人是怎么知道的？

9. 老人怎么知道骆驼掉了一颗牙？

（二）判断下列句子的正误：

1. 人们认为眼睛看到的一切都是真实的。　　　　　　　（ T ）

2. 眼睛并不是什么都看得到。　　　　　　　　　　　　（ T ）

3. 生意人看见老人的前边有一条路。　　　　　　　　　（ F ）

9

busines

4. 生意人认为老人偷了他的骆驼。 （ T ）

5. 老人没看见骆驼，但是看见了骆驼的脚印儿。 （ T ）

6. 那头骆驼右眼瞎了，左腿瘸了。 （ T F ）

7. 蚂蚁在吃蜜，苍蝇在运米。 （ F ）

8. 骆驼吃树叶的时候掉了一颗牙。 （ F ）

9. 老人不知道骆驼在哪儿。 （ T ）

10. 生意人沿着骆驼的脚印儿去找了。 （ T ）

03-2 二、听第三遍录音，边听边填空：

1. 人人都说_____，所以很多人慢慢地养成了只依靠_____而不喜欢动脑的_____。

2. 但是，眼睛所能看到的_____毕竟有限，而且如果不动脑子，对_____眼前的事情也会_____。

3. 生意人_____跑过去问那老人_____见过一头骆驼。

4. 老人问了几个问题，他听了以后先是十分_____，接着很_____，因为他怀疑是老人把他的骆驼_____。

5. 骆驼的脚印儿左边_____，右边_____；骆驼只能看见_____的草，看不见_____的草；路的_____有许多苍蝇，_____有许多蚂蚁。

6. _____骆驼跑到哪儿去了，我就不知道了，你_____骆驼的脚印儿自己去找吧。

三、说一说：

那头骆驼长得什么样？

新 HSK 实战演练

03-3 第 1-20 题：请选出正确答案。

1. A. 欣赏 xīn shǎng
   B. 讽刺 fěng cì indicate
   C. 遗憾 yí hàn regretable ✓
   D. 无所谓 don't give a damn

2. A. 我的骆驼到哪儿去了
   B. 您见过一头骆驼没有
   C. 您见没见过一头骆驼吗
   D. 您是在哪儿见过骆驼的

3. A. 感到吃惊
   B. 有些着急
   C. 明白原因
   D. 产生怀疑

4. A. 夸张 exaggerate
   B. 疑问
   C. 否定
   D. 责备 blame

5. A. 李扬还在国内
   B. 李扬已回国了
   C. 李扬去了国外
   D. 李扬还在国外

6. A. 6 点 10 分
   B. 6 点 15 分
   C. 6 点 20 分
   D. 6 点 30 分

7. A. 经常忘事
   B. 不爱读书
   C. 看书专心 focus
   D. 喜欢买书

8. A. 总想当老师
   B. 工作时间长
   C. 经常写错字
   D. 喜欢练书法

9. A. 当今社会
   B. 没有本领 vocational skills
   C. 很多事情
   D. 离开城市

10. A. 还可以
    B. 非常好
    C. 很一般
    D. 不清楚

11. A. 对方说话很难听
    B. 对方举止不文明
    C. 对方做法不合适
    D. 对方不喜欢说话

12. A. 肯定能行
    B. 一定不行
    C. 也许不行
    D. 也许能行

13. A. 谦虚 modest
    B. 否定
    C. 肯定
    D. 怀疑

14. A. 钱正好，老张不会错
    B. 钱不多，老张不在乎
    C. 钱太少，老张不会要
    D. 钱太多，老张不敢要

15. A. 一定比自己好
    B. 未必比自己好
    C. 一定不如自己
    D. 不一定那么好

16. A. 猜测
    B. 询问
    C. 较肯定
    D. 较怀疑

17. A. 勇敢点儿
    B. 慷慨点儿 generous
    C. 小心点儿
    D. 幽默点儿

18. A. 不错
    B. 不算差
    C. 不怎么样
    D. 不太了解

19. A. 很平静
    B. 很生气
    C. 很矛盾 contradictory
    D. 很着急

20. A. 你不该迟到
    B. 你不该回家
    C. 你不该说话
    D. 你不该等他

泛听部分 ▶

骆驼和羊

词语

03-4

1. 矮	ǎi	adj.	5. 扒	bā	v.	
2. 争论	zhēnglùn	v.	6. 窄	zhǎi	adj.	
3. 说服	shuōfú	v.	7. 钻	zuān	v.	
4. 茂盛	màoshèng	adj.				

练习

一、听两遍录音，简单回答下列问题：

03-5

1. 骆驼和羊争论什么问题？
2. 骆驼和羊分别想证明什么？
3. 哪儿种着很多树？
4. 骆驼吃到树叶容易吗？为什么？
5. 羊想吃树叶的时候是怎么做的？
6. 骆驼为什么没能从那个门进去？
7. 老牛对高矮的看法是什么？
8. 老牛认为哪种做法不对？

二、说一说：

请把这个小故事讲给你的朋友听。

第四课 | 爱吃鱼的公仪休

精 听 部 分 ▶

爱吃鱼的公仪休

🎧 词 语

04-1

1. 德才兼优	décái jiānyōu		7. 偏袒	piāntǎn	v.
2. 宰相	zǎixiàng	n.	8. 执法	zhífǎ	v.
3. 嗜鱼如命	shìyú rúmìng		9. 瞒	mán	v.
4. 同僚	tóngliáo	n.	10. 暴露	bàolù	v.
5. 精挑细选	jīngtiāoxìxuǎn		11. 撤	chè	v.
6. 权力	quánlì	n.	12. 惩处	chéngchǔ	v.

练 习

🎧 一、听两遍录音，简单回答下列问题：

04-2

（一）回答下列问题：

1. 公仪休是谁？

2. 公仪休为什么被提升为宰相？

3. 给公仪休送鱼的是什么人？

4. 公仪休的弟子觉得什么事很可惜？

5. 弟子不明白什么事？

6. 公仪休认为送鱼的人有什么目的？

7. 为什么吃了人家的鱼，执法就会不公正？

8. 不公正的事暴露出来会有什么后果？

9. 公仪休认为怎样才能长远地吃鱼？

（二）判断下列句子的正误：

1. 公仪休爱吃鱼就像爱他的性命一样。 （ T ）

2. 那些送鱼的人都是公仪休的朋友。 （ T ）

3. 那些鱼不新鲜，所以公仪休不接受。　　　　　　　（ F ）
4. 那些送鱼的人非常爱护公仪休。　　　　　　　　　（　　）
5. 时间长了，人们就会发现那些不公正的事。　　　　（　　）
6. 如果公仪休不当宰相了，那些人会马上躲着他。　　（　　）
7. 公正地办事不一定能常常吃到鱼。　　　　　　　　（　　）
8. 公仪休愿意用自己的钱买鱼吃。　　　　　　　　　（　　）

二、听第三遍录音，边听边填空：

04-2

1. 两千多年前，鲁国有一个＿＿＿＿叫公仪休，由于＿＿＿＿，被提升为鲁国的宰相。

2. 他当了宰相以后，许多人都＿＿＿＿给他送鱼，有＿＿＿＿朋友、同僚属下，也有＿＿＿＿的人。可是，公仪休却命令家人一律不许＿＿＿＿这些鱼。

3. 你＿＿＿＿那些人给我送鱼是喜欢我、＿＿＿＿我吗？不是。他们喜欢的是宰相＿＿＿＿的权力，希望这个权力能为他们＿＿＿＿。

4. ＿＿＿＿的事做多了，天长日久怎么能＿＿＿＿天下的人？那些事暴露出来，宰相的职位就会被＿＿＿＿，说不定还要＿＿＿＿国法的惩处。

三、说一说：

公仪休为什么不接受别人送的鱼？

新 HSK 实战演练

第 1-20 题：请选出正确答案。

04-3

1. A. 他很爱吃鱼
　 B. 他当大官了
　 C. 他朋友很多
　 D. 他不是宰相

2. A. 亲戚
　 B. 同事
　 C. 朋友
　 D. 家人

3. A. 表达敬意
　 B. 提供帮助
　 C. 得到好处
　 D. 爱护朋友

4. A. 肯定会被撤职
　 B. 可能会受惩罚
　 C. 一定会躲不开
　 D. 会有相反做法

5. A. 事情很严重
   B. 发生了争吵
   C. 讨论很热烈
   D. 事情已结束

6. A. 从前不太好
   B. 人应该服老
   C. 不能比年龄
   D. 现在更好了

7. A. 头疼了
   B. 明白了
   C. 生气了
   D. 糊涂了

8. A. 只需要 45 分钟
   B. 用不了 45 分钟
   C. 最少需要 45 分钟
   D. 最多需要 45 分钟

9. A. 应该接受教育
   B. 水平比自己高
   C. 水平不如自己
   D. 待人周到全面

10. A. 正在生气
    B. 正在点火
    C. 正在忙着
    D. 正在想事

11. A. 哪种生活规律更好
    B. 年轻人生活不规律
    C. 老年人不喜欢年轻人
    D. 人们都应该互相理解

12. A. 请客人吃饭
    B. 请客人喝酒
    C. 请客人喝茶
    D. 请客人来家里

13. A. 猜测
    B. 肯定
    C. 疑问
    D. 否定

14. A. 埋怨
    B. 劝说
    C. 讽刺
    D. 感叹

15. A. 更不明白了
    B. 完全明白了
    C. 可能明白了
    D. 基本明白了

16. A. 他身体很好
    B. 他没去医院
    C. 他刚去了医院
    D. 他常常去医院

17. A. 复印材料
    B. 去找主任
    C. 把材料送去
    D. 复印后送去

18. A. 家庭悲剧
    B. 婚外恋现象
    C. 造成悲剧的原因
    D. 第三个家庭成员

19. A. 还可以
    B. 很不好
    C. 不方便
    D. 太麻烦

20. A. 没人知道这件事
    B. 这件事不太重要
    C. 他的身体没问题
    D. 他能做好这件事

泛 听 部 分 ▶

和氏璧

 词 语

04-4

1. 璞玉	púyù	n.		4. 玉匠	yùjiàng	n.
2. 雕琢	diāozhuó	v.		5. 鉴别	jiànbié	v.
3. 绝世	juéshì	v.		6. 举世罕见	jǔshìhǎnjiàn	

练 习

一、听两遍录音，简单回答下列问题：

04-5

1. 卞和在哪里找到的璞玉？

2. 卞和为什么要把这块璞玉献给厉王？

3. 厉王为什么砍掉卞和的左脚？

4. 卞和的右脚为什么也被砍掉了？

5. 文王为什么派人去问卞和？

6. 卞和为什么痛哭？

7. 和氏璧是一块什么样的玉？

二、说一说：

你觉得卞和是一个什么样的人？

单元测试（一）

第一部分

04T-1

第1-20题：请选出正确答案。

1. A. 生气
   B. 高兴
   C. 痛苦
   D. 为难

2. A. 现在就应该买
   B. 什么也不用买
   C. 要少带点儿东西
   D. 不用带任何东西

3. A. 一定要去
   B. 不想去了
   C. 可能会去
   D. 不知道去不去

4. A. 女人像水一样
   B. 女人喝很多水
   C. 女人很容易哭
   D. 女人喜欢运动

5. A. 请老李吃饭
   B. 约定时间
   C. 去问老李
   D. 接受邀请

6. A. 失望
   B. 遗憾
   C. 抱怨
   D. 伤心

7. A. 老张害怕来不了
   B. 老张可能不来了
   C. 老张可能还会来
   D. 老张肯定会来的

8. A. 事情没做完
   B. 事情太多了
   C. 事情不成功
   D. 事情是假的

9. A. 不会再客气
   B. 已经吃饱了
   C. 真的不喜欢
   D. 不想下去吃

10. A. 对方的孩子
    B. 对方的爱人
    C. 对方的朋友
    D. 对方的家长

11. A. 听力水平
    B. 研究能力
    C. 中文基础
    D. 所学专业

16. A. 一般
    B. 秘密
    C. 密切
    D. 疏远

12. A. 老陈光说不干
    B. 老陈不说也不干
    C. 老陈只让别人干
    D. 老陈影响了工作

17. A. 一般
    B. 不好
    C. 密切
    D. 难说

13. A. 没意思
    B. 太长了
    C. 看不懂
    D. 难看到

18. A. 小王
    B. 小张
    C. 小梁
    D. 小唐

14. A. 咱们都很客气
    B. 谁不认识咱们
    C. 咱们不必客气
    D. 应该怎么客气

19. A. 一个
    B. 两个
    C. 三个
    D. 四个

15. A. 有些困难
    B. 很不舒服
    C. 不好意思
    D. 还没想好

20. A. 梦想得到奖学金
    B. 可以去国外留学了
    C. 放弃出国留学打算
    D. 出国留学还是梦想

第二部分

04T-2

这一部分，你将听到一段录音，然后请根据录音回答后面的问题。录音可以连续听两遍。第二部分的测试现在开始。

磨刀不误砍柴工

请回答下列问题：

1. 大牛做什么工作？他工作怎么样？

2. 大牛发现了什么问题？

3. 砍的树越来越少，大牛认为是什么原因？

4. 大牛采取了什么方法？

5. 大牛为什么怀疑自己的工作能力？

6. 大牛从什么时候起开始使用他的斧子？

7. 大牛为什么不磨斧子？

8. 同事认为大牛砍树越来越少的原因是什么？

9. 做事怎样才能取得事半功倍的效果？

第五课 | 人如其名

人如其名

词语

05-1

1. 体现	tǐxiàn	v.	8. 隔	gé	v.
2. 预示	yùshì	v.	9. 摸索	mōsuo	v.
3. 神秘	shénmì	adj.	10. 嫌	xián	v.
4. 色彩	sècǎi	n.	11. 瓜藤	guāténg	n.
5. 谐音	xiéyīn	v.	12. 绊	bàn	v.
6. 巧合	qiǎohé	adj.	13. 灯笼	dēnglong	n.
7. 安稳	ānwěn	adj.	14. 枕头	zhěntou	n.

练习

一、听两遍录音，简单回答下列问题：

05-2

（一）回答下列问题：

1. 汉族人的名字体现了什么？

2. 起名字时人们可以选择什么？不能选择什么？

3. 姓和名为什么会组合出让人意想不到的意思？

4. 吴静是一个什么样的人？

5. 邻居带给吴静一个什么口信儿？

6. 吴静为什么走小路？

7. 吴静为什么摔倒了？

8. 到了娘家后，吴静为什么大吃一惊？

9. 他们在什么地方找到了一个枕头？

10. 最后，他们在哪儿找到了孩子？

（二）判断下列句子的正误：

1. 中国人的名字都有几种含义。 *connotation*（ F ）

2. 名字的神秘色彩是因为它对人未来的命运有某种预示性。 （ T ）

3. 我们经常听到的名字是不能仔细去想的。 （ T ）

4. "人如其名"是说人和名字是矛盾的。 （ F ）

5. 那天晚上，一个邻居到吴静的家里告诉她一个消息。 （ T ）

6. 吴静听到那个消息后，急得连灯也没来得及开。 （ T ）

7. 吴静来到娘家，发现只有弟弟一人在家。 （ F ）

8. 吴静很吃惊，因为孩子摔伤了。 （ ）

9. 他们没有在冬瓜田里找到孩子。 （ ）

10. 他们跑到吴静家时，天已经亮了。 （ ）

二、听第三遍录音，边听边填空：

05-2

1. 汉族人的名字＿＿＿＿有某种含义，它一方面体现了＿＿＿＿对孩子的祝愿，另一方面＿＿＿＿地预示着一个人的＿＿＿＿。

2. ＿＿＿＿因为这个原因，再＿＿＿＿汉字的谐音特点，姓和名有时会＿＿＿＿出让人＿＿＿＿的意思。

3. 她三下两下穿好＿＿＿＿，摸索着抱起＿＿＿＿就＿＿＿＿了。

4. 她急忙向＿＿＿＿一摸，摸到孩子，＿＿＿＿抱起来，又慌慌张张地＿＿＿＿了。

5. 可是，＿＿＿＿，连个孩子的＿＿＿＿也没有，只＿＿＿＿了一个枕头。

6. 她拉着弟弟向＿＿＿＿家跑去，到了屋里＿＿＿＿一看，小孩睡得＿＿＿＿，只是床上少了一个枕头。

三、说一说：

吴静犯了几个错误?

新 HSK 实战演练

第 1-20 题：请选出正确答案。

05-3

1. A. 仔细想出来的
   B. 姓和名很难懂的
   C. 姓和名都特别好的
   D. 姓和名搭配不协调的
      dā pèi xié diào
      not well coordinated

2. A. 她的性子很急
   B. 她就住在附近
   C. 她不关心别人
   D. 她总有很多事

3. A. 瓜藤
   B. 小孩
   C. 大意 wreckless
   D. 着急

4. A. 天已经亮了
   B. 屋里开着灯
   C. 小孩在睡觉 ✗
   D. 床上没枕头

5. A. 是的
   B. 是吗 ✗
   C. 是什么
   D. 谁说的

6. A. 买些吃的东西 ✗
   B. 看风雪大不大
   C. 呼吸新鲜空气
   D. 看风停了没有

7. A. 原来他就是老宋
   B. 自己会喜欢老宋
   C. 老宋喜欢流行歌曲 ✗
   D. 人们对老宋的看法

8. A. 改革开放政策 reform gǎi gé dìng zè policy
   B. 工人罢免厂长 remove bàn miàn
   C. 厂长解雇工人
   D. 新建了个工厂 jiè gù

9. A. 会计师 accountant kuài
   B. 公务员 civil servant
   C. 售票员
   D. 银行职员

10. A. 很后悔见到他
    B. 有许多话要说
    C. 不知道说什么
    D. 心中感到痛苦

11. A. 相貌很重要
    B. 应该留长发
    C. 小强人不错
    D. 转变观念难

12. A. 他有点儿吃惊
    B. 他什么都害怕
    C. 他担心会下雨
    D. 他盼望天气好

13. A. 3 号
    B. 4 号
    C. 5 号
    D. 6 号

14. A. 不漂亮
    B. 不便宜
    C. 不合适
    D. 不时髦

15. A. 现在书太贵
    B. 那本书太薄
    C. 好书不太多
    D. 不喜欢买书

16. A. 家务活儿太多
    B. 那些东西太少
    C. 发的东西不好
    D. 过节时干家务

17. A. 发现眼睛有问题
    B. 责怪我也没有用
    C. 后悔当时太粗心
    D. 不该多次批评我

18. A. 加快建设速度
    B. 增加就业机会
    C. 保证工程质量
    D. 解决住房问题

19. A. 你那本书太旧了
    B. 你的想法落后了
    C. 你推荐得太晚了
    D. 你不该读这本书

20. A. 一个姑娘
    B. 小李的弟弟
    C. 小李和一个姑娘
    D. 小李和他的弟弟

泛听部分 ▶

失败的约会

 词 语

05-4

1. 暗暗	ànàn	adv.		4. 凑	còu	v.
2. 马尾辫	mǎwěibiàn	n.		5. 有门儿	yǒuménr	v.
3. 勇气	yǒngqì	n.		6. 无意识	wúyìshí	adv.

练 习

 一、听两遍录音，简单回答下列问题：

05-5

1. 周星在公共汽车上常常遇到什么人？
2. 周星喜欢的女孩什么样？
3. 和女孩的目光相遇时，周星是怎么做的？
4. 周星为什么下定了决心？
5. 周星什么时候给了女孩纸条？
6. 纸条上的内容可能是什么？
7. 周星觉得女孩会来吗？为什么？
8. 周星犯了一个什么错误？

二、说一说：

请把这个小故事讲给你的朋友听。

第六课 | 是谁改变了她

精 听 部 分 ▶

是谁改变了她

词 语

06-1

1. 相依为命	xiāngyī wéimìng		8. 亚麻色	yàmásè	n.
2. 维持	wéichí	v.	9. 标签	biāoqiān	n.
3. 生计	shēngjì	n.	10. 惊呆	jīngdāi	
4. 捏	niē	v.	11. 仙女	xiānnǔ	n.
5. 叹气	tànqì	v.	12. 飘飘忽忽	piāopiāohūhū	
6. 盛大	shèngdà	adj.	13. 惊讶	jīngyà	adj.
7. 舞伴	wǔbàn	n.	14. 奇迹	qíjì	n.

练 习

一、听两遍录音，简单回答下列问题：

06-2

（一）回答下列问题：

1. 女孩家有几口人？

2. 她们的生活怎么样？

3. 妈妈为什么给女孩20块钱？

4. 女孩出了家门以后是怎样走的？

5. 女孩心里为什么酸酸的？

6. 小店的柜台上有什么东西？

7. 售货员让女孩做什么？

8. 女孩为什么惊呆了？

9. 女孩出门的时候，发生了什么事？

10. 大街上的人看到女孩有什么反应？

11. 那个小伙子有什么反应？

12. 女孩为什么又回到了小店？

（二）判断下列句子的正误：

1. 女孩 18 岁生日的时候妈妈给她 20 块钱。 （ F ）
2. 女孩很自卑，不想让别人注意她。 （ T ）
3. 女孩不想试头花，因为头花的颜色不合适。 （ F ）
4. 女孩非常激动，因为她看到了一个仙女。 （ F ）
5. 女孩太激动了，没有向老先生道歉就跑了。 （ T ）
6. 女孩不再躲着别人，因为她知道自己变漂亮了。 （ T ）
7. 小伙子邀请女孩参加舞会，女孩有点儿生气。 （ F ）
8. 老先生一直在等着女孩回来向他道歉。 （ T ）

二、听第三遍录音，边听边填空：

06-2

1. 她_____着钱出了家门，_____热闹的人群，低着头在_____走着，一边走一边在心里叹气：我可能是这个镇上_____的女孩子了。

2. 女孩看到_____里的自己时，一下子惊呆了，她觉得这朵头花完全_____了她的模样，她好像_____变成了一个仙女。

3. 她不知不觉地跑在了小镇_____的大街上，她看见_____人都惊讶地看着她，议论她。

4. 一进门，就看到那位_____笑着站在那儿：姑娘，我就知道你会回来的，刚才你_____我的时候，你的_____掉了，我一直在等着你_____呢。

三、说一说：

女孩买头花前和买头花后有什么不同？为什么？

新 HSK 实战演练

第 1-20 题：请选出正确答案。

06-3

1. A. 觉得自己不漂亮　　　　　　2. A. 第一次照镜子了
   B. 手里的钱太少了　　　　　　　 B. 仙女给她提示了
   C. 害怕见那么多人　　　　　　　 C. 让自己变漂亮了
   D. 别人都不认识她　　　　　　　 D. 她头脑不清醒了

25

3.(A.)她的勇气
　　B. 她的无知
　　C. 她的议论
　　(D.)她的漂亮

4. A. 男的赔光了钱 *péi guāng lose*
　　B. 男的已经后悔了
　(C.)男的说对方太固执 *gù zhí stubborn*
　　D. 男的一定要看黄河
　　　　　　　huáng hé

5. A. 牛肉
　　B. 鸡肉
　　C. 猪肉
　　D. 羊肉

6. A. 我不辛苦
　(B.)哪里哪里
　　C. 不必休息
　　D. 你我一样

7. A. 中午
　　B. 晚上
　(C.)饭前
　(D.)饭后

8. A. 应该有新 HSK 成绩 *chéng jì*
　　B. 要参加四次新 HSK
　　C. 需参加新 HSK 四级测试
　　D. 最少要通过新 HSK 四级

9. A. 我太忙了
　　B. 我没力气
　(C.)我不想去
　　D. 我想休息

10. A. 你不用说了
　　 B. 可以借给你
　　 C. 它没什么用
　　(D.)我再找找吧

11. A. 那里的菜不好
　　 B. 那里的菜不辣 là
　　 C. 那里没有辣菜
　　 D. 那里什么菜好

12. A. 讽刺 *satire*
　　　fěng cì
　　 B. 惊喜
　　 C. 奇怪
　　(D.)责怪 blame

13. A. 心中好奇
　　 B. 心脏不好 *zàng heart*
　　 C. 心情很好
　　(D.)心里难过

14. A. 挺大方 generous
　　(B.)很贪财 greedy
　　　　tān cái
　　 C. 能赚钱
　　 D. 常丢钱

15. A. 太抢手 high demand
　　　qiǎngshǒu
　　 B. 买不到
　　 C. 不了解
　　(D.)怕赔钱 lose money
　　　　péi

16. A. 儿子性子急
　　 B. 儿子没结婚
　　 C. 儿子有问题
　　 D. 儿子太听话

17. A. 你这样说是因为你站着
    B. 你的腰不疼，不用着急
    C. 我们换个位置就不腰疼
    D. 如果换成你，也会着急

18. A. 很单调
    B. 很复杂
    C. 很丰富
    D. 很难说

19. A. 办学
    B. 旅游
    C. 求职
    D. 生意

20. A. 关切
    B. 批评
    C. 鼓励
    D. 不满

泛听部分 ▶

皮鞋的来历

 词语

06-4

1. 坑洼不平	kēngwābùpíng		4. 造福	zàofú	v.
2. 碎	suì	adj.	5. 仆人	púrén	n.
3. 硌	gè	v.	6. 采用	cǎiyòng	v.

练习

听两遍录音，简单回答下列问题：

06-5

1. 国王的脚是怎么硌破的？
2. 国王为什么要把全国的道路铺上牛皮？
3. 在路上铺牛皮的事能做到吗？为什么？
4. 大家反对国王的命令了吗？为什么？
5. 仆人提了一个什么建议？
6. 国王为什么很高兴？
7. 这个故事说明了什么道理？

第七课 | 牛奶的记忆

 精听部分 ▶

牛奶的记忆

🎧 词 语

07-1

1. 爱不释手	àibúshìshǒu		7. 开发	kāifā	v.
2. 疑心	yíxīn	n.	8. 简易	jiǎnyì	adj.
3. 训	xùn	v.	9. 吸管儿	xīguǎnr	n.
4. 寄宿	jìsù	v.	10. 温馨	wēnxīn	adj.
5. 铜锣	tóngluó	n.	11. 不以为然	bùyǐwéirán	
6. 壮观	zhuàngguān	adj.	12. 复制	fùzhì	v.

练 习

🎧 一、听两遍录音，简单回答下列问题：

07-2

（一）回答下列问题：

1. 说话人小时候喝的牛奶是什么样的？
2. 他觉得什么很有意思？
3. 他为什么不到中午就饿了？
4. 中学时他们怎么知道牛奶来了？
5. 他们大学早上会有什么风景？
6. 情侣奶是什么样子的？
7. 他们为什么点了"妙士"牛奶？
8. 妙士牛奶的广告词是什么？
9. 他们认为初恋是什么感觉？
10. "妙士"牛奶为什么会让人心痛？

（二）判断下列句子的正误：

1. 说话人不记得小时候喝过什么牌子的牛奶了。 （　　　）
2. 说话人非常喜欢那些动物卡片。 （　　　）
3. 妈妈一直不知道他不吃面包，只喝牛奶。 （　　　）

28

4. 大学的时候他们常常排队买牛奶。 （   ）

5. 农业学院的牛奶又便宜又好喝。 （   ）

6. 情侣奶非常特别。 （   ）

7. 情侣们常常在小吃摊上一起喝牛奶。 （   ）

8. 开始大家觉得"妙士"牛奶的广告词写得非常好。 （   ）

二、听第三遍录音，边听边填空：

07-2

1. 小时候喝过一种牛奶，_____已经忘了，是装在_____里的，很好喝，只卖_____一瓶。

2. 我就把吃面包的钱_____买牛奶喝，于是每天_____中午就会感到特别饿。

3. 每天下午_____叔叔把牛奶送到楼下，然后拿出个铜锣，_____一边大声叫：牛奶到喽！

4. 我们学校有个_____：早上都要听_____。所以每天早上都能看到很壮观的_____：校园内匆匆行走的男女学生，个个右手拿着_____，左手_____一杯印有邻校标志的牛奶，精神物质两不误。

5. _____上印着"喝上一口，_____的味道"，大家都对这句广告词不以为然，认为那种开始_____，最后会心痛的感觉，一盒牛奶怎么能_____得了？

三、说一说：

录音中一共提到了几种牛奶？它们给说话人留下了什么样的记忆？

新 HSK 实战演练

第 1-20 题：请选出正确答案。

07-3

1. A. 牛奶
   B. 动物
   C. 介绍
   D. 卡片

3. A. 介绍早上的校园
   B. 介绍生活的忙碌
   C. 介绍送牛奶人多
   D. 介绍收音机广告

2. A. 吃几个面包
   B. 买多少牛奶
   C. 是否吃早饭
   D. 身体不舒服

4. A. 太小了
   B. 太一般
   C. 太夸张
   D. 太酸了

5. A. 对安全问题的担心
   B. 对今后发展的计划
   C. 对业务情况的总结
   D. 对公司状况的比喻

6. A. 你知道该拍些什么
   B. 你知道这里的规定
   C. 你知道所有的问题
   D. 你知道有什么麻烦

7. A. 中国人的称呼复杂
   B. 外国人的称呼复杂
   C. 怎么称呼外国人
   D. 一共有多少称呼

8. A. 寻找东西
   B. 举行晚会
   C. 招聘员工
   D. 进行考试

9. A. 男的买了礼物
   B. 男的不去看电影
   C. 男的最后同意了
   D. 男的答应逛商店

10. A. 这真的是件怪事
    B. 王铃变得很奇怪
    C. 你为什么不认识她
    D. 这一点儿也不奇怪

11. A. 260 元
    B. 220 元
    C. 210 元
    D. 190 元

12. A. 不知道如何回答
    B. 不明白对方的问题
    C. 不想知道对方的年龄
    D. 不想说出自己的年龄

13. A. 夫妻
    B. 同事
    C. 旅伴
    D. 恋人

14. A. 能力不够
    B. 担心赔钱
    C. 怕丢面子
    D. 觉得太累

15. A. 外资企业的问题
    B. 重奖重罚的问题
    C. 奖还是罚的问题
    D. 眼红和肉疼问题

16. A. 不满孩子吃得太少
    B. 不满电视节目单调
    C. 不满连续播放动画片
    D. 不满动画片播出时间

17. A. 很旧
    B. 很新
    C. 很好
    D. 很贵

18. A. 饭店
    B. 茶馆
    C. 冷饮店
    D. 咖啡馆

19. A. 下次去哪儿吃饭
　　 B. 明天的活动计划
　　 C. 已去过哪些地方
　　 D. 活动计划怎么样

20. A. 肯定找不到他的
　　 B. 现在找他太晚了
　　 C. 他肯定不会帮你
　　 D. 他的房间没号码

泛听部分 ▶

聪明的狗

词 语

07-4

1. 嚷　　　rǎng　　　　　v.
2. 叼　　　diāo　　　　　v.
3. 香肠　　xiāngcháng　　n.
4. 郊区　　jiāoqū　　　　n.

5. 脚爪　　jiǎozhuǎ　　　n.
6. 绕　　　rào　　　　　v.
7. 愤愤不平　fènfènbùpíng
8. 训斥　　xùnchì　　　　v.

练 习

一、听两遍录音，简单回答下列问题：

07-5

1. 狗跑进肉店的时候老板正在做什么？
2. 老板怎么把狗赶出去的？
3. 纸条上写着什么？
4. 老板为什么跟着那条狗？
5. 在十字路口，狗怎么过的马路？
6. 那条狗等了几辆公共汽车？
7. 那条狗在公共汽车上做了什么？
8. 那条狗的家在哪儿？
9. 那条狗是怎样叫门的？
10. 男人为什么踢那条狗？

二、说一说：

为什么说这是一条聪明的狗？

第八课 | 错信姻缘

精听部分 ▶

错信姻缘

🎧 词语
08-1

1. 姻缘	yīnyuán	n.	7. 歪打正着	wāidǎzhèngzháo	
2. 离奇	líqí	adj.	8. 相仿	xiāngfǎng	adj.
3. 师范	shīfàn	n.	9. 对象	duìxiàng	n.
4. 发件箱	fājiànxiāng		10. 相中	xiāng zhòng	v.
5. 按	àn	v.	11. 接触	jiēchù	v.
6. 陌生人	mòshēngrén	n.	12. 投缘	tóuyuán	adj.

练习

🎧 一、听两遍录音，简单回答下列问题：
08-2

（一）回答下列问题：

1. 刘老师在哪儿工作？
2. 教师节的时候刘老师想给谁发短信？
3. 刘老师收到了一条什么短信？
4. 刘老师为什么发错了短信？
5. 刘老师看到陌生人的短信为什么笑了？
6. 陌生人在哪里工作？多大年纪？
7. 刘老师为什么想和方老师见面？
8. 刘老师和方老师对对方的第一印象怎么样？

（二）判断下列句子的正误：

1. 刘老师和他女朋友认识已经两年了。　　　　　　（ ✗ ）
2. 刘老师毕业于师范大学。　　　　　　　　　　　（ ✗ ）
3. 孙老师是刘老师的同学。　　　　　　　　　　　（ ✓ ）

4. 刘老师第二次给陌生人发短信是想问她在哪里工作。 （ ✗ ）

5. 刘老师告诉了陌生人他在哪里工作。 （ ✓ ）

6. 刘老师和方老师以前都有过对象。 （ ✗ ）

7. 虽然父母不同意，刘老师和方老师还是订婚了。 （ ✗ ）

二、听第三遍录音，边听边填空：

08-2

1. 错发了一条_____，却成就了一段姻缘，这样_____的事情就发生在县实验小学刘老师_____。

2. 今年教师节，他_____在外乡教学的_____孙老师，就用手机发了_____"祝你教师节快乐"的短信。

3. 他急忙_____手机上的_____，才发现他给孙老师发短信时，_____了一位号码，_____发给了一个陌生人。

4. 刘老师看到这条短信，_____，没想到"歪打正着"，于是起了_____，就发短信问陌生人在哪里教学。

5. 经过_____接触，互相也很投缘，他们就在_____双方家长的同意后订婚了。

三、说一说：

请说一说刘老师和方老师的恋爱经过。

新 HSK 实战演练

第 1—20 题：请选出正确答案。

08-3

1. A. 两位老师订婚
   B. 他们发了短信
   C. 有人错发短信
   D. 很奇怪的事情

2. A. 对方错发
   B. 出于礼貌
   C. 现在高兴
   D. 觉得好奇

3. A. 女的，已结婚
   B. 女的，是单身
   C. 女的，年龄大
   D. 女的，介绍人

4. A. 互相都满意
   B. 希望再了解
   C. 印象不深刻
   D. 没什么感觉

5. A. 美国
   B. 欧洲
   C. 泰国
   D. 新西兰

6. A. 觉得没力气
   B. 情绪不正常
   C. 精神有问题
   D. 工作很辛苦

7. A. 小何挣钱多不多
   B. 小何有没有真本事
   C. 小何的女朋友是谁
   D. 小何恋爱失败的原因

8. A. 警察
   B. 医生
   C. 服务员
   D. 消防队员

9. A. 咸了点儿
   B. 还不够浓
   C. 都合口味
   D. 有点儿淡

10. A. 总是出差
    B. 经常请假
    C. 喜欢钓鱼
    D. 不认识他

11. A. 商业工作
    B. 教育工作
    C. 渔业工作
    D. 经营时装

12. A. 已经厌倦了
    B. 心里很痛苦
    C. 工作环境差
    D. 觉得没出路

13. A. 小魏的结婚时间
    B. 给小魏写什么贺词
    C. 大家如何执行决定
    D. 准备什么结婚礼物

14. A. 小贾太不客气
    B. 小贾神经过敏
    C. 小贾行为不礼貌
    D. 小贾好动不安稳

15. A. 妈妈们都很固执
    B. 妈妈们只关心儿子
    C. 妈妈们没必要操心
    D. 妈妈们操心事很多

16. A. 应该慢点儿吃
    B. 他确实吃饱了
    C. 走快了受不了
    D. 还要多长时间

17. A. 他们的孩子
    B. 老胡的女儿
    C. 周围的邻居
    D. 一些陌生人

18. A. 需要两天时间
    B. 两天后再写信
    C. 还要再等消息
    D. 没必要再等待

19. A. 火车提速后的票价
    B. 火车什么时候提速
    C. 怎么打电话预定车票
    D. 是谁在关心火车票价

20. A. 怎样才习惯厚脸皮
    B. 应该习惯什么做法
    C. 什么样子是脸皮厚
    D. 办事效率和厚脸皮

泛 听 部 分 ▶

你在等什么

词 语

08-4

1. 把握　　bǎwò　　v.
2. 眼神　　yǎnshén　　n.
3. 暗示　　ànshì　　v.
4. 鼓励　　gǔlì　　v.

5. 耽搁　　dānge　　v.
6. 忧伤　　yōushāng　　adj.
7. 白发苍苍　báifàcāngcāng
8. 颤抖　　chàndǒu　　v.

练 习

一、听两遍录音，简单回答下列问题：

08-5

1. 有的人不能很好地把握什么？
2. 姑娘向小伙子暗示什么？她为什么这样做？
3. 什么事情被耽搁下去了？原因是什么？
4. 姑娘订婚是她自己的决定吗？
5. 订婚前，姑娘是怎么想的？
6. 对于姑娘订婚，小伙子有什么反应？
7. 结婚之前，姑娘为什么又一次失望了？
8. 五十年后，他们二人住在同一个城市吗？
9. 男的为什么来医院看她？
10. 她问的那句话代表了什么？

二、说一说：

请你谈一谈对这个故事的看法。

单元测试（二）

第一部分

08T-1

第 1-20 题：请选出正确答案。

1. A. 去商店了
   B. 去上班了
   C. 去拿钥匙了
   D. 去打电话了

2. A. 否定
   B. 夸张
   C. 怀疑
   D. 批评

3. A. 稿子非常难写
   B. 身体不太舒服
   C. 睡眠时间太少
   D. 在找生活规律

4. A. 质量好的东西
   B. 价格高的东西
   C. 有毛病的东西
   D. 减价处理的东西

5. A. 很好
   B. 不知道
   C. 不怎么样
   D. 听过多次了

6. A. 她肯定会去
   B. 她根本不信
   C. 她没时间去
   D. 她还没确定

7. A. 做了一桌子菜
   B. 和别人聊天儿
   C. 自己准备聚会
   D. 收拾碗筷桌椅

8. A. 搬家时应该怎么做
   B. 他们之间不太熟悉
   C. 女的没有告诉对方
   D. 哪家搬家公司更好

9. A. 早就想挂在这儿
   B. 挂在这儿有意思
   C. 遮挡破坏的墙面
   D. 和壁灯挂在一起

10. A. 怀疑
    B. 赞同
    C. 反驳
    D. 批评

11. A. 朋友
    B. 邻居
    C. 同学
    D. 夫妻

12. A. 没有时间去
    B. 自己不敢去
    C. 不好意思去
    D. 想跟对方去

13. A. 局长让我去就好了
    B. 祝贺你当上了局长
    C. 你说的事情不会发生
    D. 你是怎么当上局长的

14. A. 你不必那么紧张
    B. 老方这几天在家
    C. 他太忙你别去了
    D. 五六天后再过来

15. A. 多加关心
    B. 严格管教
    C. 让她放心
    D. 给她自由

16. A. 对方常惹她生气
    B. 对方让她很开心
    C. 对方很满意礼物
    D. 对方从没买礼物

17. A. 所有的鸟都不笨
    B. 那只鸟早就飞了
    C. 我需要早作准备
    D. 别人开始比我早

18. A. 双方合作出现问题
    B. 女的不想和他商量
    C. 他们正在商谈价格
    D. 价格和质量的关系

19. A. 50%
    B. 25%
    C. 15%
    D. 10%

20. A. 不能去新疆出差
    B. 不能看现场比赛
    C. 不能在新疆看比赛
    D. 不能看开幕式转播

第二部分

这一部分，你将听到一段录音，然后请根据录音回答后面的问题。录音可以连续听两遍。第二部分的测试现在开始。

08T-2

酸杏还是甜杏

请回答下列问题：

1. 江山为什么要做小买卖？

2. 江山的那筐杏是怎么来的？

3. 为了让老太太相信他的话，江山是怎么说的？

4. 老太太为什么要买酸杏？

5. 江山说他的杏酸到什么程度？

6. 对那个小伙子，江山是怎么说的？

7. 小伙子为什么没买江山的杏？

8. 江山的妻子担心什么？

第九课｜认识幸福

认识幸福

🎧 词语

09-1

1. 在乎　　　zàihu　　　　　v.
2. 珍惜　　　zhēnxī　　　　v.
3. 轻易　　　qīngyì　　　　adv.
4. 启发　　　qǐfā to inspire　v.
5. 折磨　　　zhémó　　　　v.
6. 鸡毛蒜皮　jīmáosuànpí trifles

7. 豪华　　　háohuá　　　　adj.
8. 犹豫　　　yóuyù　　　　adj.
9. 彼此　　　bǐcǐ　　　　　pron.
10. 经济危机　jīngjì wēijī
11. 两败俱伤　liǎngbàijùshāng
12. 砸　　　　zá　　　　　　v.

练 习

🎧 一、听两遍录音，简单回答下列问题：

09-2

（一）回答下列问题：

1. 人们似乎不在乎什么？
2. 他们的共同想法是什么？
3. 他们在什么地方办的离婚手续？
4. 男的为什么要请女的吃饭？
5. 他们以前从没去过什么样的饭店？
6. 他们什么时候才知道下雨了？
7. 女的为什么走得很小心？
8. 他们为什么在水洼两边互相看着对方？
9. 男的是怎样把女的送到家的？
10. 分手的时候，他们为什么都哭了？
11. "水洼"里打斗的结果会是什么？

（二）判断下列句子的正误：

1. 幸福到底是什么，谁也说不清楚。　　　　　　（ 下 ）

2. 他们离婚是因为发生了一些严重的问题。 （ F ）

3. 那张纸可以证明他们已经不是夫妻了。 （ T ）

4. 那家饭店他们以前经常去。 （ F ）

5. 今晚，男的把女的抱过了第一个水洼，他以前都是这么做的。 （ F ）

6. 女的走在砖上很犹豫，也很害怕。 （ T ）

7. 夫妻之间只有好好配合才能避免出现经济危机和家庭矛盾。 （ T ）

8. 生活中遇到"水洼"，不能把那块砖放在对方的脚下。 （ F ）

二、听第三遍录音，边听边填空：

09-2

1. 人们_____并不在乎、并不珍惜手中已经得到的，却总爱追求_____的未来，轻易地让已经_____的幸福从身边溜走。

2. 他们谁也不说话，_____地走着。快到_____时，男的_____说要请女的吃一顿饭。

3. 男的找来两块砖，_____放在女的脚下，女的_____着踩了上去，男的轻轻地_____她的一只手，她就_____地走了过来。

4. 在"经济危机"的时候，初为_____的时候，家庭出现_____的时候……你为她放一块砖，她为你擦_____，日子就_____地过下来了。

5. 那块砖，我们应该把它放在_____，而不应该_____头上，有时幸福就是这么_____。

三、说一说：

你觉得他们俩应该离婚吗？为什么？

新 HSK 实战演练

09-3

第 1-20 题：请选出正确答案。

1. A 幸福　　　　　　　　2. A 离婚
   B. 梦想　　　　　　　　　B. 约会
   C. 未来　　　　　　　　　C. 快乐
   D. 追求　　　　　　　　　D. 希望

3. A. 女的请男的吃饭
   B. 女的接受了邀请
   C. 女的表示了拒绝
   D. 女的决定自己走

4. A. 地面的水坑
   B. 很长的时间
   C. 路上的积水
   D. 出现的矛盾

5. A. 世界上的名人太多
   B. 名人已经不在人世
   C. 名人的生活不生动 lively
   D. 只能认识很少名人

6. A. 孩子
   B. 脏话
   C. 决心
   D. 毛病

7. A. 不太喜欢他们
   B. 对方常来打扰
   C. 怕他们要玩儿
   D. 他们总是玩儿

8. A. 男的不想睡觉
   B. 男的不用上班
   C. 男的还要工作
   D. 男的曾说大话

9. A. 唱歌
   B. 发音
   C. 弹琴 ✓
   D. 打字

10. A. 家里 ✓
    B. 上海
    C. 天津
    D. 石家庄

11. A. 这儿
    B. 头上
    C. 身上
    D. 手里

12. A. 可能是出口产品
    B. 那是进口的产品
    C. 档次很高的产品
    D. 是国产内销产品

13. A. 图书馆
    B. 博物馆
    C. 展览馆
    D. 借书处

14. A. 免费商品
    B. 赠送礼品
    C. 有奖销售
    D. 季节性降价

15. A. 生活本身太复杂了
    B. 事情很难解释清楚
    C. 是非的标准不统一
    D. 原因和结果不明确

16. A. 上山的车速太快
    B. 下山的车速太慢
    C. 有时快，有时慢
    D. 上山慢，下山快

17. A. 社会收入水平差别很大
    B. 人的睡眠时间多少不一
    C. 收入和睡眠时间有关系
    D. 睡眠时间影响健康状况

19. A. 人们都厌烦了传统
    B. 传统的东西太脆弱
    C. 现代的东西才合理
    D. 不太适合现代文明

18. A. 病人出血非常多
    B. 月亮的引力最大
    C. 海水潮汐的出现
    D. 人体中液体很多

20. A. 业余时间太少
    B. 做的工作太多
    C. 休息还是赚钱
    D. 收入越来越少

泛听部分 ▶

吵 架

🎧 **词语**
09-4

1. 没好气儿	méi hǎoqìr		6. 枪药	qiāngyào	n.
2. 脑门儿	nǎoménr	n.	7. 顺眼	shùnyǎn	adj.
3. 克制	kèzhì	v.	8. 拌嘴	bànzuǐ	v.
4. 嗓门儿	sǎngménr	n.	9. 包袱皮儿	bāofupír	n.
5. 顶	dǐng	v.	10. 哽咽	gěngyè	v.

练习

 听两遍录音，简单回答下列问题：
09-5

1. 这两天，他们大约什么时候回家？
2. 妻子为什么说是"饭炒蛋"？
3. 妻子为什么不同意"半夜三更"的说法？
4. 丈夫为什么发火儿？
5. 妻子关上房门后，丈夫听到了什么声音？
6. 丈夫心里为什么感到后悔？
7. 丈夫为什么打开了房门？
8. 打开房门后，丈夫看到了什么？
9. 妻子看到丈夫，有什么反应？
10. 妻子让丈夫做什么？为什么？

第十课 春天的笑脸

春天的笑脸

词 语

10-1

1. 舒畅	shūchàng	adj.	6. 纠正	jiūzhèng	v.
2. 和善	héshàn	adj.	7. 惋惜	wǎnxī	adj.
3. 媳妇	xífu	n.	8. 愣	lèng	v.
4. 丈母娘	zhàngmuniáng	n.	9. 不由自主	bùyóuzìzhǔ	
5. 抽屉	chōuti	n.	10. 灿烂	cànlàn	adj.

练 习

10-2

一、听两遍录音，简单回答下列问题：

（一）回答下列问题：

1. 说话人的心情怎么样？

2. 说话人常去那家书报亭吗？

3. 书报亭的老板去哪儿了？

4. 又来了一个什么人？

5. 大娘为什么找给女人七块五毛钱？

6. 说话人为什么不纠正那个女人的错误？

7. 小男孩为什么蹲在地上不走了？

8. 说话人为什么愣在那儿了？

9. 出现了什么"奇迹"？

10. 小男孩看到说话人，有什么反应？

（二）判断下列句子的正误：

1. 说话人感觉周围的一切都很美好。　　　　　　　　　（ T ）

2. 说话人要买一本小说。　　　　　　　　　　　　　　（ T ）

3. 书报亭的老板是一位六十多岁的老大娘。　　　　　　（ F ）lǎobǎn

4. 那个女人来给儿子买书。　　　　　　　　　　　　　（　）

5. 大娘不认识字，所以找书找得很慢。 （ T ）

6. 女人给了大娘十块钱，大娘找她七块。 （ F ）

7. 说话人担心小男孩受到不好的影响，心里很难过。 （ X ）

8. 说话人知道是小男孩纠正了妈妈的错误。 （ T ）

二、听第三遍录音，边听边填空：

10-2

1. 春天来了，心情一下子变得＿＿＿＿、舒畅和＿＿＿＿起来，感觉＿＿＿＿的一草一木都那么亲切，男男女女也都那么和善。

2. 大娘笑着说："儿子带着媳妇、＿＿＿＿去看丈母娘了，我帮他临时＿＿＿＿一下。我不识字，可别＿＿＿＿您的事呀！"

3. 这时候，又有一个人来＿＿＿＿，是个三十多岁的女人，＿＿＿＿得很漂亮，＿＿＿＿跟着一个十来岁的小男孩，长得挺＿＿＿＿的。

4. 我开始希望女人自己纠正这个＿＿＿＿。可是，她什么也＿＿＿＿，接过钱，拿着书就要＿＿＿＿。

5. 我不由自主地把眼光＿＿＿＿了男孩。男孩先是＿＿＿＿地看了我一眼，紧接着，就＿＿＿＿我的眼光，甜甜地笑了，可爱的＿＿＿＿就像春天的阳光。

三、说一说：

如果你遇到这种情况，你会怎么做？

新 HSK 实战演练

第 1-20 题：请选出正确答案。

10-3

1. A. 舒畅的 　　　　2. A. 10.00 元
   B. 熟悉的 　　　　　 B. 7.50 元
   C. 新奇的 　　　　　 C. 5.00 元
   D. 善良的 　　　　　 D. 2.50 元

3. (A.)你看什么
   B. 你快买吧 ✗
   (C.)你别多嘴
   D. 你还买吗

4. A. 身体不舒服了
   (B.)感觉无所适从 dk what to do
   C. 对失误很后悔 ✓
   D. 不知道去哪里

5. A. 小张有问题
   (B.)不该是小张 ✓
   C. 科长是小张
   (D.)不知怎么做 head of dep.

6. (A.)去乘飞机
   B. 再打电话 ✓
   C. 锻炼身体
   D. 出去玩儿

7. A. 女的还很兴奋
   B. 女的还没睡着 ✓
   (C.)女的还没吃药
   (D.)女的不同意吃药

8. (A.)汉语基础差
   B. 心情都不好 ✗
   C. 写得没特点
   D. 不了解特点

9. A. 她忘了那天的约会
   B. 她妈妈早就有心脏病 xīnzàng bìng
   C. 她妈妈已经出院回家 ✗
   (D.)她这几天要去看妈妈

10. (A.)请李丽帮他的忙
    (B.)介绍他认识李丽
    C. 学习李丽的做法
    D. 了解李丽的情况

11. A. 坐汽车
    B. 坐火车
    C. 坐飞机
    D. B 和 C

12. A. 是个一般同事
    B. 是个女性朋友
    C. 是很好的朋友
    D. 是个高中学生

13. A. 鲁菜或川菜
    B. 粤菜或潮州菜
    C. 韩国菜或川菜
    D. 日本菜或韩国菜

14. A. 他们不想参加比赛
    B. 他们身体都不太好
    C. 他们没有获得冠军
    D. 他们总是获得冠军

15. A. 礼节没有一定标准
    B. 礼节只有一个标准
    C. 各国都有很多礼节
    D. 国家不同礼节不同

16. A. 个人收藏种类的丰富
    B. 个人收藏者人数众多
    C. 文化部门的有关统计
    D. 出现许多私人收藏馆

17. A. 对人的骨骼很有好处
　　B. 对人的睡眠很有好处
　　C. 对儿童的健康有好处
　　D. 对中老年人很有好处

18. A. 体内水分蒸发
　　B. 综合征的流行
　　C. 眼睛感觉发干
　　D. 长时间看屏幕

19. A. 出入境手续
　　B. 护照延期手续
　　C. 入学交费手续
　　D. 居留证及延期

20. A. 人们觉得太累了
　　B. 人们希望放松些
　　C. 人们精力不够用
　　D. 人们习惯了忙碌

泛听部分 ▶

表哥和表嫂

🎧 词 语
10-4

1. 大大咧咧	dàdaliēliē		5. 小心翼翼	xiǎoxīnyìyì	
2. 邋遢	lāta	adj.	6. 废纸篓	fèizhǐlǒu	n.
3. 健忘	jiànwàng	adj.	7. 攒	zǎn	v.
4. 大跌眼镜	dàdiēyǎnjìng		8. 死心塌地	sǐxīntādì	

🎧 练 习

听两遍录音，简单回答下列问题：
10-5

1. 表哥是一个什么样的人？
2. 说话人觉得表嫂应该是一个什么样的人？
3. 说话人为什么很好奇？
4. 开始的时候表嫂对表哥是什么看法？
5. 表嫂拿出了什么东西？
6. 纸条上都写了什么？
7. 表嫂是怎么找到这些纸条的？
8. 表嫂决定跟表哥结婚的原因是什么？

第十一课 | 赛 马

精 听 部 分 ▶

赛 马

词 语

11-1

1. 嫉妒	jídù	v.	7. 赌金	dǔjīn		n.
2. 职权	zhíquán	n.	8. 克敌制胜	kèdízhìshèng		
3. 伪造	wěizào	v.	9. 赢	yíng		v.
4. 膝盖骨	xīgàigǔ	n.	10. 推荐	tuījiàn		v.
5. 遭遇	zāoyù	n.	11. 敬重	jìngzhòng		v.
6. 礼敬有加	lǐjìngyǒujiā		12. 军师	jūnshī		n.

专 名

1. 孙膑	Sūn Bìn	3. 田忌	Tián Jì	
2. 庞涓	Páng Juān	4. 齐王	Qí wáng	

练 习

一、听两遍录音，简单回答下列问题：

11-2

（一）回答下列问题：

1. 孙膑是什么人？

2. 庞涓认识孙膑吗？为什么？

3. 什么引起了庞涓的嫉妒？

4. 庞涓是怎样迫害孙膑的？他这么做的目的是什么？

5. 孙膑是怎样离开魏国的？

6. 田忌是怎样对待孙膑的？

7. 当时，齐国盛行什么？

8. 田忌他们是怎样赛马的？

9. 孙膑观看赛马时有什么发现？

10. 田忌为什么不愿意和齐王赛马？

11. 孙膑要田忌怎样去和齐王比赛？结果如何？

（二）判断下列句子的正误：

1. 在庞涓成为魏国的大将军之前，他就认识孙膑。 （ ✓ ）
2. 在求学时期，孙膑的才能就比庞涓高。 （ ✗ ）
3. 因为孙膑不是魏国人，所以庞涓说孙膑是敌人的奸细。 （ ）
4. 庞涓挖去了孙膑的膝盖骨，并在上面刺了字。 （ ）
5. 庞涓的目的是不让孙膑得志。 （ ✓ ）
6. 齐国使者的到来，是孙膑命运转折的开始。 （ ）
7. 齐国使者在得到田忌的同意后，秘密把孙膑带回了齐国。 （ ）
8. 当时盛行赛马，田忌也经常参加。 （ ）
9. 三个等级的马奔跑的速度差不多。 （ ✓ ）
10. 齐王的马比田忌的马好，所以每次比赛齐王都会赢钱。 （ ✗ ）
11. 田忌敢在那场比赛中下重注，是因为他相信孙膑能让他获胜。 （ ）
12. 虽然魏军打败了齐军，但庞涓却被齐军杀死了。 （ ）

二、听第三遍录音，边听边填空：

11-2

1. _____时代，他曾经和庞涓一起学习_____，后来，庞涓_____了魏国的大将军，可他总是担心自己的_____不如孙膑。

2. 庞涓见孙膑的才能_____比自己高，心里_____嫉妒，便利用手中的职权，伪造了一个"通敌"的罪名，_____了孙膑的膝盖骨。

3. 这期间有一个齐国的使者_____魏国，孙膑_____地找到这个使者，向他_____了自己的遭遇，_____得到他的帮助。

4. 田忌经常和齐王等齐国的_____赛马，_____采用三局两胜制，赌金也很多。孙膑发现这些马_____可以分成上、中、下三个等级，同一等级的马_____的速度也_____。

5. 比赛结束了，田忌_____获胜，赢了齐王一大笔钱。_____，田忌更加_____孙膑，并把他_____给齐王。

三、说一说：

请你说一说孙膑的经历。

新HSK实战演练

🎧 第 1-20 题：请选出正确答案。

11-3

1. A. 他现在是魏国人
   B. 他已经是大将军
   C. 他很想认识孙膑
   (D.) 他怕孙膑能力强 ✓

2. A. 孙膑非常嫉妒他
   B. 为了常提醒自己
   C. 满足人们的要求
   (D.) 不让孙膑有作为

3. A. 喜欢帮助别的人
   B. 保守孙膑的秘密
   (C.) 认为孙膑有才能 ✓
   D. 同情孙膑的遭遇

4. A. 他不是很聪明
   B. 齐王的马更好
   C. 贵族和他比赛
   (D.) 马分三个等级

5. (A.) 田忌很相信孙膑
   (B.) 田忌不想再赛马
   C. 孙膑觉得田忌很有钱
   D. 田忌很想和齐王赛马

6. A. 使用筷子的地区很广 ✗
   (B.) 使用筷子的范围不大
   C. 筷子只是在中国使用
   (D.) 只有亚洲国家用筷子

7. A. 信息高速公路 *information*
   (B.) 信息传播速度的提高 *chuánbō*
   C. 人造地球卫星的出现
   (D.) 人造卫星的发射和应用 ✗ *wèixīng* *fāshè* *yìngyòng*

8. A. 还要做很多事
   B. 女的没看话剧 *play*
   C. 报纸上没有广告
   D. 没能看话剧演出

9. A. 1848 年
   B. 1919 年
   C. 1939 年
   D. 1949 年

10. A. 计算机的普及
    B. 计算机的联网
    C. 信息交换的加速
    D. 卫星技术的完善

11. A. 批评
    B. 赞扬
    C. 怀疑
    D. 同情

12. A. 在洗衣机里
    B. 在女的那里
    C. 在他的钱包里
    D. 在上衣口袋里

13. A. 在家里
    B. 在行李里
    C. 在钱夹里
    D. 在记事本里

14. A. 他必须去上课
    B. 他忘了带电脑
    C. 他去了朋友家
    D. 他记错了时间

15. A. 她得罪了对方
    B. 对方太糊涂了
    C. 没让朋友进屋
    D. 不陪朋友玩儿

16. A. 很多人习惯午睡
    B. 什么人需要午睡
    C. 午睡需要多长时间
    D. 午睡合理性和作用

17. A. 了解女性的困惑和苦恼
    B. 给男性提供交流的方法
    C. 帮助妇女解决婚恋问题
    D. 帮助女性适应社会变革

18. A. 顾客可自我服务
    B. 薄利多销的方法
    C. 开架售货式经营
    D. 把市场开在纽约

19. A. 市区面积扩大
    B. 市区车辆增多
    C. 市区交通阻塞
    D. A 和 C 项

20. A. 人
    B. 家畜
    C. 畜牧业
    D. 食物链

泛听部分 ▶

完璧归赵

11-4

词 语

1. 据为己有   jùwéijǐyǒu
2. 城池   chéngchí   n.
3. 自告奋勇   zìgàofènyǒng

4. 瑕点   xiádiǎn   n.
5. 守信用   shǒu xìnyòng
6. 恼怒   nǎonù   v.

练 习

一、听两遍录音，简单回答下列问题：

11-5

1. 赵王怎么得到的和氏璧？

2. 秦王说他想用什么来换和氏璧？

3. 赵王为什么很伤脑筋?

4. 蔺相如出使秦国有什么打算?

5. 秦王拿到和氏璧后的表现怎么样?

6. 蔺相如是怎么拿回和氏璧的?

7. 蔺相如对秦王说了什么?

8. 秦王为什么放了蔺相如?

二、说一说:

从这个故事,可以看出蔺相如是一个什么样的人?

第十二课 | 国王的耳朵

精听部分 ▶

国王的耳朵

🎧 **词 语**
12-1

1. 尽情	jìnqíng *as much as one liked* adv.	7. 有失体面	yǒushī tǐmiàn *to lose dignity*
2. 闷	mēn *to smother* v.	8. 机密	jīmì *classified* n.
3. 东掖西藏	dōngyēxīcáng *to conceal*	9. 郊外	jiāowài n.
4. 不敬	bújìng *to disrespect*	10. 荒地	huāngdì *wasteland* n.
5. 惩罚	chéngfá *to punish* v.	11. 芦苇	lúwěi *reed* n.
6. 驴子	lúzi n.	12. 丛	cóng *grass classifier* m.

处死 chǔsǐ *to execute*

掉脑袋 diào nǎo dài *to get beheaded*

练 习

🎧 一、听两遍录音，简单回答下列问题：
12-2

（一）回答下列问题：

1. 姑娘们有一种什么样的心理？

2. 姑娘们为什么把心里话写在日记上？

3. 什么让姑娘们很不放心？为什么？

4. 什么事"说来奇怪"？

5. 故事里那位国王为什么会受到仙女的惩罚？

6. 国王为什么把他的耳朵藏在王冠里？

7. 国王是怎么命令理发师的？

8. 理发师知道秘密以后，感觉怎么样？

9. 理发师想了一个什么办法？

10. 说话人建议爱写日记的姑娘们怎么做？

（二）判断下列句子的正误：

1. 奇怪的姑娘喜欢写日记。　　　　　　　　　（　　　）

2. 姑娘们总是找一个人，把自己的心里话告诉他。（　　　）

3. 写日记是姑娘们的秘密。　　　　　　　　　（　　　）

4. 有些奇怪的人喜欢偷看姑娘们的日记。　　　（　　　）

5. 那位国王很害怕别人知道他对仙女不敬的事。　　　　（　　　）

6. 如果理发师说出秘密，就要被杀死。　　　　　　　　（　　　）

7. 知道了国王的秘密后，理发师觉得心里很难受。　　　（　　　）

8. 把坑填平以后，理发师才觉得心里舒服了。　　　　　（　　　）

二、听第三遍录音，边听边填空：

12-2

1. 她们有一种＿＿＿＿＿，总觉得有些话＿＿＿＿＿说出来＿＿＿＿＿，可是，有时候又找不到一个＿＿＿＿＿的人，＿＿＿＿＿尽情地把心里话说给他听。

2. 正因为这些话是不能＿＿＿＿＿别人的＿＿＿＿＿，那本日记也就东掖西藏的，让她们很不＿＿＿＿＿。

3. 他＿＿＿＿＿别人知道这件事，＿＿＿＿＿国王的＿＿＿＿＿，就每天把他的＿＿＿＿＿藏在王冠里。

4. 他跑到＿＿＿＿＿的一块荒地里，挖了一个＿＿＿＿＿的坑，＿＿＿＿＿对那个坑说："咱们的＿＿＿＿＿长着一对驴子耳朵呀！"说完，＿＿＿＿＿用土把坑＿＿＿＿＿。

5. 爱写日记的姑娘们，如果怕别人＿＿＿＿＿你们的日记，那就学学那个＿＿＿＿＿吧，你们可以放心，现在已经没有那种＿＿＿＿＿的芦苇了。

三、说一说：

请你说一说那位理发师的经历。

新 HSK 实战演练

第 1~20 题：请选出正确答案。

12-3

1. A. 好奇的
   B. 爱说的
   C. 难受的
   D. 安静的

2. A. 那些人
   B. 那些秘密
   C. 那本日记
   D. 那说出的话

3. A. 完全忘了
   B. 那很痛苦
   C. 秘密太多
   D. 会被处死

4. A. 挣到足够多的钱
   B. 不考虑怎么挣钱
   C. 不让金钱决定一切
   D. 设法得到某些东西

5. A. 它确实复杂
   B. 办事效率低
   C. 报纸没报道
   D. 要找很多人

6. A. 演出的地点
   B. 在哪儿买票
   C. 昨天的新闻
   D. 那人已出国

7. A. 突然病倒了
   B. 出租车坏了
   C. 被车撞伤了
   D. 该去医院了

8. A. 广东
   B. 站台
   C. 火车站
   D. 叔叔家

9. A. 脚受伤了
   B. 被雨淋湿了
   C. 手被挂破了
   D. 买错了东西

10. A. 正在找眼镜
    B. 眼镜打破了
    C. 眼镜找不到
    D. 在打扫卫生

11. A. 很密切
    B. 很一般
    C. 很不好
    D. 很难说

12. A. 她很难受
    B. 例子太多
    C. 时间太长
    D. 内容太难

13. A. 谁是妹妹
    B. 谁是姐姐
    C. 谁是学生
    D. 谁是冠军

14. A. 面点师越来越少
    B. 需要更多面点师
    C. 人们吃主食减少
    D. 到饭店吃饭的多

15. A. 提供足够大的能量
    B. 有较长的使用寿命
    C. 找到廉价生产方法
    D. 加工成很多种形状

16. A. 全都是零钱
    B. 一张母亲的照片
    C. 一张照片和零钱
    D. 几张照片和零钱

17. A. 声音的速度
    B. 光速比声速快
    C. 为什么有闪电
    D. 怎么计算距离

18. A. X 含有什么意思
    B. X 光名称的来历
    C. X 光是谁发现的
    D. X 光怎样发现的

19. A. 福州路没人下车
    B. 汽车开得太快了
    C. 妈妈太专心游戏
    D. 售票员没作提示

20. A. 赚钱容易
    B. 出行方便
    C. 得到享受
    D. 脸上好看

泛听部分 ▶

不要放过欢乐

词 语

12-4

1. 面面俱到　miànmiànjùdào
2. 难以忘怀　nányǐwànghuái
3. 辈子　　　bèizi　　　　　n.
4. 天伦之乐　tiānlúnzhīlè

5. 怀孕　　　huáiyùn　　　v.
6. 橱窗　　　chúchuāng　　n.
7. 清汤面　　qīngtāngmiàn　n.
8. 野营　　　yěyíng　　　　v.

练 习

12-5

一、听两遍录音，简单回答下列问题：

1. 对不太多的钱，有几种使用方法？
2. 第一种花钱的方法会使你的生活怎么样？
3. 第二种花钱的方法是什么？
4. 那对恋人过早地考虑什么问题？
5. 他俩和同龄人有什么不同？
6. 这几年他们为什么一直在接受治疗？
7. 为什么爸爸同意给说话人五毛钱，而妈妈不同意？
8. 说话人的那位朋友为什么要带着孩子去豪华饭店吃饭？
9. 这顿饭对他们家当时的生活有什么影响？
10. 文中说"不管花多少钱也应该得到它"，"它"指的是什么？

二、说一说：

这段话中，说话人举了哪几个例子？对这几件事，你是怎么看的？

单元测试（三）

第一部分

第 1-20 题：请选出正确答案。

1. A. 应该怎样洗澡
   B. 洗澡不能太频繁
   C. 介绍皮肤的主要功能
   D. 皮肤"保护剂"的作用

2. A. 中秋节
   B. 乞巧节
   C. 端午节
   D. 踏青节

3. A. 南极有不同的时间
   B. 南极位于东十二区
   C. 南极最早见到日出
   D. 南极属于新西兰

4. A. 婆媳经常发生冲突
   B. 夫妻常常发生冲突
   C. 男人常惹母亲生气
   D. 丈夫经常是出气筒

5. A. 电冰箱
   B. 电风扇
   C. 电视机
   D. 洗衣机

6. A. 饮料含铝量过多
   B. 易拉罐内有涂料
   C. 铝能降低记忆力
   D. 不利于儿童牙齿

7. A. 2.4 万公里
   B. 3.9 万公里
   C. 5.3 万公里
   D. 11.6 万公里

8. A. 10 天
   B. 5 个月
   C. 6 个月
   D. 8 个月

9. A. 吸烟的人越来越少
   B. 从经济上考虑问题
   C. 有人建议制定法律
   D. 控制烟草生产消费

10. A. 父母该限制孩子
    B. 孩子不能作决定
    C. 溺爱会伤害孩子
    D. 孩子缺乏独立能力

11. A. 将建在地下
    B. 采用高建筑
    C. 乘车不被淋
    D. 不会有广告

12. A. 7.9%
    B. 3.5 亿
    C. 8700 万
    D. 8900 万

13. A. 深化姓名的改革
    B. 规范姓名的使用
    C. 解决姓名拥挤问题
    D. 消除同名同姓现象

14. A. 吸烟有害的宣传不够
    B. 香烟价格的不断提高
    C. 青少年和女烟民增多
    D. 女性不吸烟会很尴尬

15. A. 大部分人精力充沛
    B. 很多人在预支健康
    C. 体育锻炼现状最差
    D. 主观需求是主要的

16. A. 取消专业
    B. 取消学院
    C. 设热门专业
    D. 学生直接入系

17. A. 使用十分简单
    B. 应用越来越广
    C. 工作效率很高
    D. 人们离不开它

18. A. 打国际长话的方法
    B. 国际长话费怎么计算
    C. 打国际长话应说什么
    D. 缩短通话时间的原因

19. A. 社会整体
    B. 社会关系
    C. 社会结构
    D. 社会发展

20. A. 地球正在变小
    B. 家成了办公室
    C. 失去自己的家
    D. 电脑使用普及

第二部分

这一部分，你将听到一段录音，然后请根据录音回答后面的问题。录音可以连续听两遍。第二部分的测试现在开始。

12T-2

父亲的短信

请回答下列问题：

1. 说话人和家人为什么互相想念？

2. 父母为什么不常常给孩子打电话？

3. 今年春节父亲为什么很高兴？

4. 父亲为什么没学会发短信？

5. 说话人回单位的路上收到一些什么短信？

6. 父亲为什么发空的短信？

7. 后来说话人知道了什么？

8. 昨天晚上说话人在做什么？

9. 这次父亲的短信有什么内容？

词语总表 | VOCABULARY

A		
挨（冻）	ái（dòng）	1
矮	ǎi	3
爱不释手	àibúshìshǒu	7
安稳	ānwěn	5
按	àn	8
暗暗	ànàn	5
暗示	ànshì	8

B		
扒	bā	3
把握	bǎwò	8
白发苍苍	báifàcāngcāng	8
摆	bǎi	3
绊	bàn	5
拌嘴	bànzuǐ	9
包袱皮儿	bāofupír	9
饱餐一顿	bǎocān yídùn	1
暴露	bàolù	4
辈子	bèizi	12
笨	bèn	1
彼此	bǐcǐ	9
标签	biāoqiān	6
不敬	bújìng	12
补救	bǔjiù	1
不以为然	bùyǐwéirán	7

不由自主	bùyóuzìzhǔ	10

C		
采用	cǎiyòng	6
灿烂	cànlàn	10
苍蝇	cāngying	3
颤抖	chàndǒu	8
撤	chè	4
城池	chéngchí	11
惩处	chéngchǔ	4
惩罚	chéngfá	12
抽屉	chōuti	10
臭气	chòuqì	2
橱窗	chúchuāng	12
喘	chuǎn	2
丛	cóng	12
凑	còu	5
粗气	cūqì	2

D		
大大咧咧	dàdaliēliē	10
大跌眼镜	dàdiēyǎnjìng	10
耽搁	dānge	8
德才兼优	décái jiānyōu	4
灯笼	dēnglong	5
地支	dìzhī	2
叼	diāo	7

雕琢	diāozhuó	4	**J**		
顶	dǐng	9	鸡毛蒜皮	jīmáosuànpí	9
东掖西藏	dōngyēxīcáng	12	机密	jīmì	12
赌金	dǔjīn	11	嫉妒	jídù	11
对象	duìxiàng	8	寄宿	jìsù	7
F			简易	jiǎnyì	7
发件箱	fājiànxiāng	8	鉴别	jiànbié	4
范围	fànwéi	3	健忘	jiànwàng	10
肥料	féiliào	1	浇	jiāo	1
废纸篓	fèizhǐlǒu	10	郊区	jiāoqū	7
愤愤不平	fènfènbùpíng	7	郊外	jiāowài	12
复制	fùzhì	7	脚爪	jiǎozhuǎ	7
G			接触	jiēchù	8
隔	gé	5	节气	jiéqì	2
硌	gè	6	尽情	jìnqíng	12
个头儿	gètóur	1	惊呆	jīngdāi	6
哽咽	gěngyè	9	经济危机	jīngjì wēijī	9
公历	gōnglì	2	精挑细选	jīngtiāoxìxuǎn	4
鼓励	gǔlì	8	惊讶	jīngyà	6
瓜藤	guāténg	5	警告	jǐnggào	1
怪	guài	1	敬重	jìngzhòng	11
H			纠正	jiūzhèng	10
豪华	háohuá	9	举世罕见	jǔshìhǎnjiàn	4
和善	héshàn	10	据为己有	jùwéijǐyǒu	11
后悔	hòuhuǐ	1	绝世	juéshì	4
怀疑	huáiyí	3	军师	jūnshī	11
怀孕	huáiyùn	12	**K**		
荒地	huāngdì	12	开发	kāifā	7

砍	kǎn	1	脑门儿	nǎoménr	9
克敌制胜	kèdízhìshèng	11	恼怒	nǎonù	11
克制	kèzhì	9	捏	niē	6
坑洼不平	kēngwābùpíng	6	农历	nónglì	2
L			**P**		
邋遢	lāta	10	庞涓	Páng Juān	11
愣	lèng	10	偏袒	piāntǎn	4
离奇	líqí	8	飘飘忽忽	piāopiāohūhū	6
梨树	líshù	1	仆人	púrén	6
礼敬有加	lǐjìngyǒujiā	11	璞玉	púyù	4
两败俱伤	liǎngbàijùshāng	9	**Q**		
芦苇	lúwěi	12	奇迹	qíjì	6
骆驼	luòtuo	3	齐王	Qí wáng	11
驴子	lúzi	12	启发	qǐfā	9
M			气味	qìwèi	2
马尾辫	mǎwěibiàn	5	枪药	qiāngyào	9
蚂蚁	mǎyǐ	3	巧合	qiǎohé	5
瞒	mán	4	清汤面	qīngtāngmiàn	12
馒头	mántou	2	轻易	qīngyì	9
茂盛	màoshèng	3	取暖	qǔnuǎn	1
没好气儿	méi hǎoqìr	9	权力	quánlì	4
闷	mēn	12	瘸	qué	3
面面俱到	miànmiànjùdào	12	**R**		
摸索	mōsuo	5	嚷	rǎng	7
陌生人	mòshēngrén	8	绕	rào	7
木柴	mùchái	1	**S**		
N			撒落	sǎluò	2
难以忘怀	nányǐwànghuái	12	嗓门儿	sǎngménr	9

丧失	sàngshī	3	推荐	tuījiàn	11
色彩	sècǎi	5	驮	tuó	3
商人	shāngrén	2	**W**		
神秘	shénmì	5	歪打正着	wāidǎzhèngzháo	8
牲畜	shēngchù	2	惋惜	wǎnxī	10
生计	shēngjì	6	维持	wéichí	6
牲口棚	shēngkoupéng	2	伪造	wěizào	11
盛大	shèngdà	6	温馨	wēnxīn	7
师范	shīfàn	8	无意识	wúyìshi	5
视而不见	shì'érbújiàn	3	舞伴	wǔbàn	6
嗜鱼如命	shìyú rúmìng	4	雾	wù	2
守信用	shǒu xìnyòng	11	**X**		
舒畅	shūchàng	10	膝盖骨	xīgàigǔ	11
顺眼	shùnyǎn	9	吸管儿	xīguǎnr	7
说服	shuōfú	3	媳妇	xífu	10
死心塌地	sǐxīntādì	10	瑕点	xiádiǎn	11
碎	suì	6	仙女	xiānnǚ	6
孙膑	Sūn Bìn	11	嫌	xián	5
T			香肠	xiāngcháng	7
叹气	tànqì	6	相仿	xiāngfǎng	8
体现	tǐxiàn	5	相依为命	xiāngyīwéimìng	6
天干	tiāngān	2	相中	xiāng zhòng	8
天伦之乐	tiānlúnzhīlè	12	小心翼翼	xiǎoxīnyìyì	10
田忌	Tián Jì	11	谐音	xiéyīn	5
同僚	tóngliáo	4	凶猛	xiōngměng	1
铜锣	tóngluó	7	熏	xūn	2
投缘	tóuyuán	8	训	xùn	7

训斥	xùnchì	7	在乎	zàihu	9
Y			攒	zǎn	10
亚麻色	yàmásè	6	遭遇	zāoyù	11
眼见为实	yǎnjiànwéishí	3	造福	zàofú	6
眼神	yǎnshén	8	窄	zhǎi	3
野营	yěyíng	12	丈母娘	zhàngmuniáng	10
依靠	yīkào	3	折磨	zhémó	9
疑心	yíxīn	7	珍惜	zhēnxī	9
姻缘	yīnyuán	8	枕	zhěn	2
银行家	yínhángjiā	2	枕头	zhěntou	5
赢	yíng	11	争论	zhēnglùn	3
勇气	yǒngqì	5	挣扎	zhēngzhá	1
忧伤	yōushāng	8	政治家	zhèngzhìjiā	2
犹豫	yóuyù	9	执法	zhífǎ	4
有门儿	yǒuménr	5	职权	zhíquán	11
有失体面	yǒushī tǐmiàn	12	皱	zhòu	2
有限	yǒuxiàn	3	壮胆	zhuàng dǎn	1
玉匠	yùjiàng	4	壮观	zhuàngguān	7
预示	yùshì	5	自告奋勇	zìgàofènyǒng	11
Z			自叹倒霉	zìtàndǎoméi	1
砸	zá	9	钻	zuān	3
宰相	zǎixiàng	4			